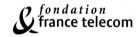

Jour après jour, éveillons le talent

Depuis 1987, la Fondation France Télécom fait découvrir de nouvelles
voix à un public toujours plus large et permet à de jeunes talents
de faire leur premier pas sur scène. Elle encourage toutes les étapes
du travail musical, de la détection à la diffusion. Sensible aux actions
pédagogiques qui permettent au jeune public de découvrir la musique,
la Fondation France Télécom a apporté son soutien à l'édition de plusieurs
livres-disques parus chez Gallimard Jeunesse Musique dont *Douce et Barbe Bleue*.

Douce et Barbe Bleue

Conte musical en forme d'opéra
d'après Charles Perrault

Illustrations Gianni de Conno

Livret Christian Eymery
Musique Isabelle Aboulker
Avec la Maîtrise de Radio France

Sommaire

Les personnages

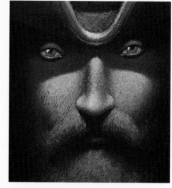

BARBE BLEUE est un homme puissant, riche, et mystérieux.

DOUCE est cadette d'une famille de 4 enfants.

Cet opéra, dont le livret a été écrit par **Christian Eymery**, est une adaptation originale et audacieuse du conte de *Barbe Bleue*. En effet, contrairement à la version de Charles Perrault, l'histoire se termine mal. Ce qui est le cas de nombreux contes traditionnels non édulcorés.

La tradition orale ne craignait pas, alors, de faire peur aux enfants. La peur et la cruauté étant parties intégrantes des sentiments humains, ils l'étaient tout naturellement des récits. De leur côté, les compositeurs ont toujours privilégié le ressort dramatique qui leur permet d'utiliser des intensités et des richesses musicales d'une très grande beauté.

Isabelle Aboulker nous en offre ici un magnifique exemple.

La **mère** de Douce.

Les **amies** de Douce.

Le chœur n'est certes pas un personnage de l'histoire ! Il tient pourtant une place essentielle dans l'opéra. Il est comme un spectateur un peu particulier qui intervient dans l'histoire pour faire part de ses commentaires, ses doutes ou ses frayeurs. Et il permet de dédramatiser cette histoire un peu terrible !

Anne la sœur aînée de Douce.

Les frères de Douce. Et si par malheur ils n'arrivaient pas à temps pour sauver Douce…

Isabelle Aboulker
Elle fait ses études d'écriture au Conservatoire de Paris. Après avoir beaucoup composé pour le théâtre et le cinéma, Isabelle Aboulker se consacre essentiellement aux mélodies, aux chœurs, aux opéras pour enfants (en 2002, *Le Petit Poucet*), aux comédies musicales… Isabelle Aboulker est professeur au Conservatoire national supérieur de Musique de Paris et a publié de nombreux ouvrages pédagogiques. Elle a reçu le prix musique de la SACD en 2000.

Christian Eymery
Directeur-adjoint du CREA (Centre régional d'éveil artistique) à Aulnay-sous-Bois, il travaille aux côtés de Didier Grojsman depuis 1990. Avec cette compagnie d'enfants chanteurs, il signe plusieurs mises en scène d'opéras et écrit également des livrets : *Martin Squelette* (libre adaptation du roman de P. Véry *Les Disparus de Saint-Agil*), *Les Enfants du Levant* (d'après le roman de C. Gritti). L'opéra *Douce et Barbe Bleue* marque sa troisième collaboration avec Isabelle Aboulker.

Nous allons vous conter…

Le Chœur

Nous allons vous conter
Nous allons vous chanter
Une histoire incroyable !
Nous allons vous conter
Nous allons vous chanter
Une histoire d'autrefois
Une histoire qui vous fera
dresser les cheveux sur la tête !

Cependant cher public
Ne vous y trompez pas
Cette histoire incroyable

Pourrait bien arriver
Près de votre maison
Et de la même façon
Vous faire dresser les poils
sur les bras !

Laissez-nous deviner
Quel en est le sujet…
Ne commence-t-elle pas
Par il était une fois ?
Plus de cent fois déjà
On nous a raconté
Plus de cent fois déjà
Nous avons écouté

Il est question d'une galette ?
Pas du tout !
De la magie d'une baguette ?
Pas du tout !
D'un loup-garou ?
D'une marionnette ?
D'un petit pois ? d'une allumette ?
Mais pas du tout !
Mais vous n'y êtes pas du tout !

Fée bienveillante ou carabosse ?
Pas du tout !
Citrouille transformée en carrosse ?
Pas du tout !

Des cailloux blancs ? une grenouille ?
Du pain d'épice ? une quenouille ?
Mais pas du tout !
Mais vous n'y êtes pas du tout !

Avec ou sans grimoire
Avec ou sans sorcière
Dans toutes ces histoires
La fin est sans mystère

Une belle demoiselle
Aime un prince charmant
Ils vécurent très heureux
Et eurent beaucoup d'enfants…

Il était une fois

Il était une fois un homme fort riche,
mais qui par malheur avait la barbe bleue.
Cela le rendait si laid et si terrible
que tous les enfants, lorsqu'ils le rencontraient,
s'enfuyaient aussitôt en courant !
L'une de ses voisines avait deux fils et deux filles
très belles : Anne, la plus âgée, et Douce, la cadette.
Il lui en demanda une en mariage, en lui laissant
le choix de celle qu'elle voudrait bien lui donner…

Douce

Non, non, non, ma mère
Ne m'abandonnez pas
À l'homme qui a la barbe bleue
Et des orages dans la voix
Ma sœur fera, je crois
Bien meilleure compagne que moi…

La mère

Voyons, voyons mes filles
Chères petites filles
Sa demande en mariage
Mérite considération
Pensez à sa fortune
Aux dentelles, aux rubans
Aux longs colliers de perles
Dont il vous couvrira
Une pareille occasion
Ne se produira pas deux fois

Anne

Non, non, non, ma mère
Je n'épouserai pas
Un homme qui a la barbe bleue
Et des éclairs dans le regard
Non, non, non, ma mère
Je n'épouserai pas
Ma sœur fera, je crois
Bien meilleure compagne que moi

Le Chœur

Elles n'ont que faire de ses dentelles
De ses rubans, de ses bijoux
Elles n'ont que faire de sa vaisselle
Et de ses meubles en acajou

Ne dit-on pas de lui
Partout dans le pays
Qu'il aurait eu déjà
Plusieurs femmes à son bras ?

Et d'un sourire entendu
Ne raconte-t-on pas, par-dessus tout
Qu'il leur aurait passé la corde au cou ?
La corde au cou !

La mère
Bien sûr je vous l'accorde
Barbe Bleue n'est pas beau
Mais cessez d'écouter
Et de croire tous ces ragots
Derrière sa silhouette
À vous glacer le sang
Il se cache peut-être
De nobles sentiments
Un homme fidèle et sincère
Et le plus tendre des amants

Les deux sœurs
Non, non, non, ma mère
Nous n'épouserons pas
Un homme qui a la barbe bleue

Ne peut pas être un bon époux
Non, non, non, ma mère
De grâce épargnez-nous
Nous préférerions toutes deux
Un mari sans le sou

Le Chœur
Non, non, non, madame
Elles n'épouseront pas
Un homme qui a la barbe bleue
Ne peut pas être un bon époux
Non, non, non, madame
De grâce croyez-nous
Elles préféreraient toutes deux
Un mari sans le sou

Le grand bal

Quelque temps plus tard, la mère des deux jeunes
filles reçut un message…
– C'est une invitation ! Barbe Bleue serait heureux
de nous compter parmi ses convives, à l'occasion d'une
grande réception qu'il donnera la semaine prochaine !
– Qu'il la donne sa réception ! Personne ne l'en
empêche ! Mais ne comptez pas sur moi pour
vous y accompagner ! annonça aussitôt l'aînée.
– Sur moi non plus ! répliqua l'autre. De toute façon,
je suis certaine qu'on doit s'y ennuyer terriblement !
La mère réfléchit un instant puis déclara :
– Après tout, nous verrons bien… Je vais le faire
prévenir de notre venue !
De son côté, Barbe Bleue donna l'ordre à ses valets
d'organiser la plus grandiose des fêtes !

Barbe Bleue
Allumez les chandelles
Dans toute la maison !
Trouvez des musiciens
Je veux entendre des violons !

Qu'on prépare en cuisine
Le plus grand des festins !
Je veux les meilleurs plats
La meilleure viande, le meilleur pain !

Ne mettez en carafe
Que des vins d'exception !
Belle robe grenat
Parfum subtil et délicat

Nettoyez porcelaine !
Couverts d'or et d'argent !
Je veux que tout scintille
Parquets et marbres étincelants !

Le Chœur

Ce soir il y a bal au château
Rien ne sera trop bon
Rien ne sera trop beau pour tous
les invités
Les huit cents invités de Barbe Bleue

Ce soir il y a bal au château
Rien ne sera, rien ne sera trop beau
Pour celles et ceux que Barbe Bleue
a invités

Médaillons de foie gras
Gigot d'agneau en chemise
Ballotin de canard
Sauté de bœuf aux olives

Foie de veau, risotto
Velouté de potiron
Chou farci, poule au pot
Fricassée de champignons

Fruits confits, macarons
Sabayons, charlottes aux poires
Et crème fouettée,
Fouettée à la mode

Caramel, mille-feuilles
Fine mousse au chocolat
Bien battue,
Battue comme il faut

Ratatouille, œufs pochés
Brochettes de langoustines
Financiers, pithiviers
Poisson à la florentine
Mayonnaise ou beurre blanc

Tarte au citron meringuée
Spaghettis, parmesan
Biscuit glacé au café

Fruits confits, macarons
Sabayons, charlottes aux poires
Et crème fouettée,
Fouettée à la mode

Caramel, mille-feuilles
Fine mousse au chocolat
Bien battue,
Battue comme il faut

Ce soir il y a bal au château
Rien ne sera, rien ne sera trop beau
Pour celles et ceux que Barbe Bleue
a invités

Les deux sœurs

Que de délicatesse
Et d'aimables attentions
Ce Barbe Bleue ma foi
N'est certes pas
Celui qu'on croit
J'imaginais un ogre
C'est un prince charmant
Qui a la barbe bleue
Mais un sourire bienveillant
Que de délicatesse
Et d'aimables attentions
Que de délicatesse
Et d'aimables attentions
Ce Barbe Bleue

Le mariage

Et c'est ainsi que Douce, la plus jeune des deux sœurs,
accepta d'épouser… Barbe Bleue ! Cependant,
durant les semaines qui précédèrent la cérémonie,
son humeur s'assombrit, et Douce se confia à sa mère.
Elle lui raconta que depuis quelque temps,
elle était harcelée par de drôles de voix
qui venaient la troubler jusque dans son sommeil.
— On dirait qu'elles essaient de me prévenir
d'un grand danger… Elles disent aussi que ce mariage
est une erreur… Et que je ferais mieux de l'annuler…
— Annuler votre mariage, ma fille ! Vous n'y pensez pas !
— Oh mère, j'ai si peur !
Enfin, le jour de la cérémonie arriva et une foule
nombreuse se pressa autour de l'église pour assister
à cette union qui faisait tant parler dans le voisinage…

Le Chœur

Oh Douce, Douce, Douce, Douce !
Jamais tu n'as porté plus belle robe
Oh Douce, Douce, Douce, Douce !
Jamais tu n'as été aussi jolie
Sur tes cheveux tressés, une couronne
Te donne un air de reine
Tu te maries

Mais qu'as-tu fait de ton sourire,
Si doux ?
Et que signifient ces larmes
sur tes joues ?

Douce

C'est à cause de ces voix
Qui tournent tout autour de moi
Ne les entendez-vous pas ?

Des hurlements et des pleurs
Des lamentations et des plaintes
Ne les entendez-vous pas ?
Des gémissements sans fin
Des cris qui déchirent la nuit
Ne les entendez-vous pas ?

Oh, oh ma pauvre tête !
Ma pauvre tête !

Le Chœur

Oh Douce, Douce, Douce, Douce !
Toutes les jeunes filles de ton âge
Oh Douce, Douce, Douce, Douce !
Rêvent de rencontrer le grand amour
Et se voient au-devant d'un long cortège
Tel celui qui s'avance
En ce beau jour
Mais qu'as-tu fait de ton sourire,
Si doux ?
Et que signifient ces larmes
sur tes joues ?

Douce

C'est à cause de ces voix
Qui tournent tout autour de moi
Ne les entendez-vous pas ?
Des hurlements et des pleurs
Des lamentations et des plaintes
Ne les entendez-vous pas ?
Des gémissements sans fin
Des cris qui déchirent la nuit
Ne les entendez-vous pas ?

Oh, oh ma pauvre tête !
Ma pauvre tête !

Tout au bout du couloir

Dès que le mariage fut célébré, Barbe Bleue
fit monter sa jeune épouse dans son carrosse
et l'emmena dans un autre de ses châteaux,
situé à l'écart de la ville. Durant les semaines
qui suivirent, la nouvelle maîtresse des lieux passa
de longues heures à se promener dans le parc
et à visiter toutes les pièces de la demeure…
Un matin, se retrouvant devant une porte
qu'elle n'arrivait pas à ouvrir, elle voulut regarder
par le trou de la serrure…
Mais à ce moment-là, elle crut entendre à nouveau
ces étranges voix qui l'avaient poursuivie jusqu'au jour
de son mariage. Elle s'enfuit en courant, et décida
d'oublier très vite cet incident…
Jusqu'au jour où Barbe Bleue lui demanda
de le rejoindre dans son bureau…

Barbe Bleue

Ma chère et tendre épouse
Je dois partir demain
Demain
Un voyage en province
De six semaines au moins
Au moins
Durant ma longue absence
Je vous confie ces clefs
Gage de ma confiance
Et de ma loyauté

Mais il est une chose
Dont je dois vous parler
Parler
Soyez très attentive
Ou vous pourriez le regretter !

La plus petite des clefs
Est celle d'un cabinet
Une pièce fermée
Où je vous interdis d'entrer
Vous m'avez compris ?

Où je vous interdis
D'entrer !

Ne cherchez pas à voir
Il n'y a rien à voir
Tout au bout de ce couloir
En bas de l'escalier
Ne cherchez pas à voir
Il n'y a rien à voir
Rien à voir

Faites tout ce que bon vous semble !
Allez, allez où vous voulez !
Ouvrez, ouvrez toutes les chambres !
Tous les tiroirs secrets !
Si vous vous sentez seule
Invitez vos amies !
Dépensez mon argent !
Profitez de la vie !

Mais ne vous risquez pas
À me désobéir
Ma colère serait grande
Je peux le garantir…

15

Les pipelettes

Douce ne chercha pas à en savoir davantage
sur ce voyage en province, et ne posa aucune question.
La pensée de revoir ses amies la rendait tellement
heureuse, qu'elle prit sans plus attendre une feuille
de papier pour les inviter. Mais à peine Barbe Bleue
était-il parti que déjà elles frappaient à la porte…

Les amies

Nous avions tellement hâte
De te voir, de te parler
Mais nous attendions qu'il parte
Pour venir te saluer !

Tant de questions nous démangent
Comme tu peux l'imaginer
Est-ce que cela te dérange ?
Veux-tu bien nous raconter ?

Est-il vrai que tu commandes
Gouvernantes et valets
Qui te doivent obéissance
Et le plus grand des respects ?

Montre-nous toutes tes robes !
Montre-nous tous tes bijoux !
Les diamants, les émeraudes
Que t'a offerts ton époux !

Mais tu peux être tranquille, Douce
Car dès lors que nous serons
De retour à la ville
Nous nous tairons !
C'est promis
Nous nous tairons !

Oh, comme tu as de la chance
De vivre ainsi entourée !
Tout n'est que magnificence
Confort et sérénité !

Comment croire que ces richesses
T'appartiennent maintenant…
La fortune ! La noblesse !
Que cela est excitant !

Par où se trouve ta chambre ?
Où mène cet escalier ?
Conduis-nous jusqu'à son antre !
Nous garderons le secret !

Sans vouloir être indiscrètes
Comment dans l'intimité

Se comporte donc le maître ?
Nous garderons le secret !

Pardonne cette insistance
Mais tu connais tes amies…
Nous brûlons d'impatience
De tout savoir de ta vie !

Mais tu peux être tranquille, Douce
Car dès lors que nous serons
De retour à la ville
Chut ! ! !
Nous nous tairons !
C'est promis
Nous nous tairons !

Le terrible secret

Cette journée au cours de laquelle Douce et ses amies
fêtèrent leurs retrouvailles fut des plus joyeuses
et chacune aurait aimé qu'elle dure le plus longtemps
possible. Vint pourtant le moment où il fallut songer
à s'en retourner…
— Au revoir ! s'écrièrent les amies de Douce,
Au revoir ! Adieu ! À bientôt !
— Et dites bien à ma sœur et mes frères que je les attends
demain pour le déjeuner ! lança la jeune mariée.
Dès qu'elle se retrouva seule, Douce sentit un immense
mélange de tristesse et d'ennui l'envahir.
Elle s'apprêtait à monter dans sa chambre quand
soudainement, elle repensa à la clef dont lui avait parlé
Barbe Bleue. Elle s'arrêta devant cette porte qu'elle
n'avait pas réussi à ouvrir quelque temps auparavant
et se souvint des recommandations faites par son époux
avant son départ… Mais malgré ses menaces,
elle saisit la plus petite des clefs du trousseau
et la glissa dans la serrure… Tremblante,
elle poussa doucement la porte du cabinet…
D'abord elle ne vit rien, car il faisait très noir,
mais lorsque ses yeux commencèrent à s'habituer
à l'obscurité, elle poussa un grand cri !

Le Chœur

Macabre découverte !
Comment cela est-il possible ?
C'est le plus horrible des crimes !
Le plus terrible des secrets !
C'est le plus horrible des crimes !
Le plus terrible des secrets !

Comment peut-on commettre
Un acte aussi abominable
Aussi abominable
Et se conduire en gentilhomme ?
Ce que l'on raconte est donc vrai !
Est donc vrai !

Douce

Le long du mur
Les pieds et mains liés
Le long du mur
Des corps ensanglantés
Le long du mur

Plusieurs femmes mortes
Mortes
Égorgées
Plusieurs femmes mortes
Mortes

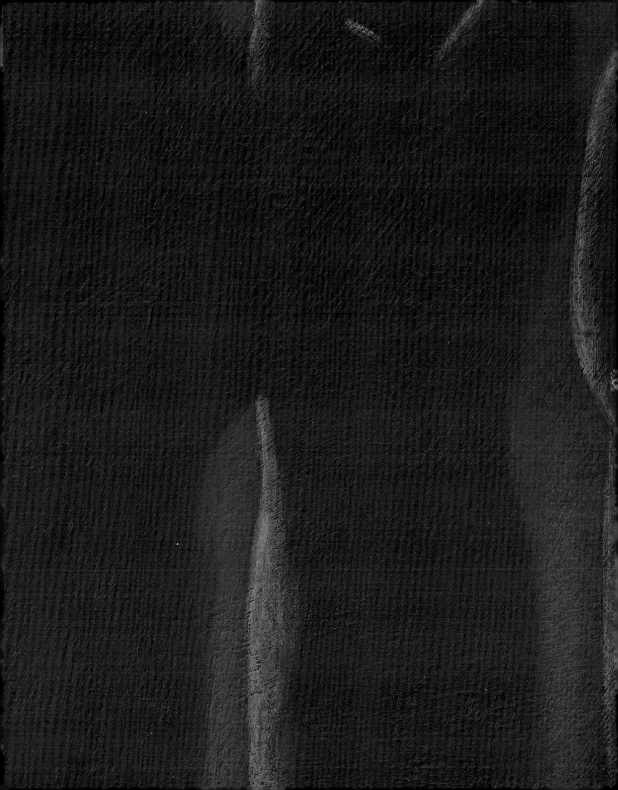

« J'avais pourtant promis »

Reprenant ses esprits, Douce ramassa la clef qu'elle venait de laisser tomber, referma la porte et remonta très vite dans sa chambre, mourante de peur. Constatant que la clef était couverte de sang, elle prit un chiffon et l'essuya à plusieurs reprises. Mais le sang ne s'en allait point. Quand il disparaissait d'un côté, il revenait mystérieusement de l'autre… Douce aurait voulu sortir chercher du secours, mais la nuit était tombée depuis longtemps déjà et l'idée de marcher seule au milieu des bois l'effrayait…
Tout à coup, elle entendit le bruit d'un carrosse dans l'allée du château…

Douce
> J'avais pourtant promis
> J'avais pourtant juré
> Mais la curiosité
> M'a poussée vers la porte
>
> J'avais pourtant promis
> J'avais pourtant juré
> Mais la curiosité
> Fut la plus forte
>
> Il va me falloir
> Affronter son regard
> Sans me mettre à pleurer
> Sans me mettre à trembler
>
> Il est déjà trop tard
> Pour songer à s'enfuir
> Il sera là bientôt
> Que vais-je pouvoir dire ?

Douce et le Chœur
> Et tout ce sang sur la clef
> Comment le faire disparaître
> Ce sang qui ne veut s'effacer
>
> Et tout ce sang sur la clef
> Il s'en va pour mieux reparaître
> Ce sang qui ne veut s'effacer
>
> Et tout ce sang sur la clef
> Tout ce sang…

La clef

– Vous ! Déjà ! s'étonna Douce.

– N'êtes-vous donc pas heureuse de me revoir ?
dit Barbe Bleue.

– Pardonnez-moi… Je suis surprise !

Barbe Bleue raconta qu'on lui avait fait savoir en chemin
que ses affaires s'étaient réglées et qu'il lui était donc
inutile de se rendre à son rendez-vous !

– À propos, pouvez-vous me rendre
mon trousseau de clefs ? demanda-t-il.

– C'est que…

– C'est que ?

– Non, rien, rien, je… Tenez, le voici !

Barbe Bleue prit le trousseau et quitta la pièce.
Dès qu'il fut sorti, Douce poussa un long soupir
de soulagement. Mais la porte se rouvrit presque
aussitôt…

– La plus petite des clefs n'y est plus ! s'exclama-t-il.

– Elle… elle a dû tomber…

– J'exige que vous la retrouviez au plus vite,
m'entendez-vous ! ! !

Le Chœur

La clef ! la clef ! la clef ! la clef !
Sans doute l'a-t-elle égarée
La clef ! la clef ! la clef ! la clef !
Elle ne sait pas
Où elle l'a rangée
La clef ! la clef ! la clef ! la clef !
Sans doute l'a-t-elle égarée
La clef ! la clef ! la clef ! la clef !
Elle ne sait pas
Où elle l'a rangée

Barbe Bleue

N'essayez pas de me cacher
la vérité
Moi je veux savoir
Je veux savoir
Où est cette clef
Et cessez de piailler
D'essayer de me tromper
Moi je veux savoir
Je veux savoir
Où est cette clef

Le Chœur

Certes, certes, Monsieur Barbe Bleue
Elle va tout faire pour la retrouver
Mais…
Pendant ce temps
Afin de vous remettre
De votre journée
Vous devriez peut-être
Aller vous installer
Dans ce confortable fauteuil
Près de la cheminée
Et demander qu'on vous prépare
Un bon feu pour vous réchauffer

Barbe Bleue

Je n'ai pas froid ! Je n'ai pas froid !
Je veux savoir où est la clef !

Le Chœur

La clef, la clef, la clef, la clef !
Sans doute l'a-t-elle égarée
La clef, la clef, la clef, la clef !
Elle ne sait pas
Où elle l'a rangée
La clef, la clef, la clef, la clef !
Sans doute l'a-t-elle égarée
La clef, la clef, la clef, la clef !
Elle ne sait pas
Où elle l'a rangée

Barbe Bleue

N'essayez pas de me cacher
la vérité
Moi je veux savoir
Je veux savoir
Où est cette clef
Et cessez de piailler
D'essayer de me tromper
Moi je veux savoir
Je veux savoir
Où est cette clef

Le Chœur

Certes, certes, Monsieur Barbe Bleue
Elle va tout faire pour la retrouver
Mais…
Pendant ce temps
Afin d'oublier la fatigue du voyage
Vous devriez peut-être
Lire ces quelques pages
Et pourquoi ne pas vous plonger
Dans un bain parfumé ?
Vous délasser et vous détendre
Et fermer les yeux un instant

Barbe Bleue

Mais je ne suis pas fatigué !
Je veux savoir où est la clef !

Le Chœur

La clef, la clef, la clef, la clef !
Sans doute l'a-t-elle égarée
La clef, la clef, la clef, la clef !
Elle ne sait pas
Où elle l'a rangée

Barbe Bleue

Et cessez de me tromper
D'essayer de me berner
Moi je veux savoir
Je veux savoir
Où est cette clef

La colère de Barbe Bleue

Le lendemain en fin de matinée, Anne arriva la première
au château. Douce se précipita vers elle pour lui
raconter ses malheurs. La patience de son époux étant
à bout, et ne pouvant le faire attendre davantage,
elle n'avait d'autre choix que de lui rendre la clef
qui manquait au trousseau. Mais auparavant,
elle demanda à sa sœur de monter en haut
du donjon pour faire signe à leurs frères de se hâter
dès qu'elle les apercevrait… Puis elle se rendit
dans le grand salon où l'attendait Barbe Bleue…
– Pourquoi y a-t-il du sang sur cette clef ? questionna-t-il.
– Je n'en sais rien !
– Comment cela vous n'en savez rien !

Barbe Bleue

Ma chère et tendre épouse
Il me faut vous parler
Des événements graves
Ici se sont passés
De ma très courte absence
Vous avez profité
Et trahi ma confiance
Et ma loyauté

Comme toutes les femmes
Vous n'êtes que curiosité
Comme toutes les femmes
Vous n'êtes que duplicité

Je vous avais alertée
Je vous avais demandé
De ne pas utiliser la plus petite
des clefs
Vous aviez promis !
Vous ne deviez jamais entrer

Vos plaintes et vos pleurs
Ne sauraient m'émouvoir
Douce, vous m'avez menti
Vous m'avez trahi
Il faut vous résigner
Votre sort est scellé
C'est la mort !

Le Chœur

Elle
Douce
Devant lui
Blanche comme un linge
Qui pleure et supplie

Lui
Barbe Bleue
Devant elle
Frémissant de colère
Refusant de l'entendre

Elle
Devant lui
Ne sait que dire
Implore sa clémence
Et clame son innocence

Lui
Devant elle
Cruel et inflexible
N'est plus que violence
Et déraison

Il parle de vengeance
Prononce la sentence
« Douce,
Tu vas mourir ! »

Anne, Sœur Anne

– Je vous en prie… supplia Douce, accordez-moi
un peu de temps pour prier Dieu avant de mourir !
– Je vous donne un demi quart d'heure, pas davantage !
Douce courut alors s'enfermer dans sa chambre en priant
le ciel que ses deux frères arrivent à temps pour la délivrer.

Le Chœur
> Anne, Sœur Anne
> Ne vois-tu rien venir ?
> Anne, Sœur Anne
> Il faut la secourir !
> Anne, Sœur Anne
> Ne vois-tu rien venir ?
> Douce ne doit pas souffrir !
> Douce ne doit pas mourir !
> Ne doit pas mourir

Anne
> Je ne vois rien,
> Hélas ! Trois fois hélas !
> Je ne vois rien,
> Hélas ! Trois fois hélas !
> Perchée en haut de ce donjon
> Je ne vois rien
> Mes yeux balayent tout l'horizon
> Mais rien ne vient
> Excepté ces quelques moutons
> Dans le lointain
> Conduits par la jeune Suzon
> Sur le chemin

Le Chœur
> Anne, Sœur Anne
> Ne vois-tu rien venir ?
> Anne, Sœur Anne
> Il faut la secourir !
> Anne, Sœur Anne

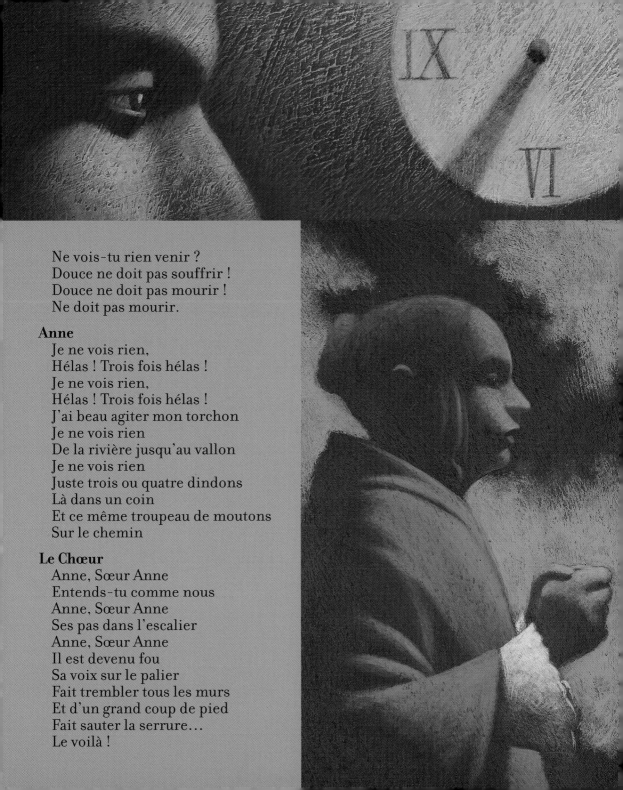

Ne vois-tu rien venir ?
Douce ne doit pas souffrir !
Douce ne doit pas mourir !
Ne doit pas mourir.

Anne
Je ne vois rien,
Hélas ! Trois fois hélas !
Je ne vois rien,
Hélas ! Trois fois hélas !
J'ai beau agiter mon torchon
Je ne vois rien
De la rivière jusqu'au vallon
Je ne vois rien
Juste trois ou quatre dindons
Là dans un coin
Et ce même troupeau de moutons
Sur le chemin

Le Chœur
Anne, Sœur Anne
Entends-tu comme nous
Anne, Sœur Anne
Ses pas dans l'escalier
Anne, Sœur Anne
Il est devenu fou
Sa voix sur le palier
Fait trembler tous les murs
Et d'un grand coup de pied
Fait sauter la serrure…
Le voilà !

« Je vous aime encore »

Lorsque dans l'encadrement de la porte apparut
Barbe Bleue, Douce recula lentement, les yeux fixés
sur le poignard qui brillait dans ses mains…

Le Chœur
　　Il est entré dans la chambre
　　Brandissant un long couteau
　　Il s'est avancé vers elle
　　Sans prononcer un seul mot
　　Dès qu'elle aperçut la lame
　　Elle sut tout aussitôt
　　Qu'arrivait sa dernière heure
　　Elle réprima ses sanglots

　　Elle ne chercha pas à s'échapper
　　N'essaya pas de résister
　　Elle le regarda droit dans les yeux
　　Et lui fit cet aveu

Douce
　　Oui, je vous ai menti
　　Oui, j'ai désobéi
　　Pourtant, je peux le jurer
　　Je vous ai toujours aimé
　　Et même face à la mort

　　Je vous aime
　　Je vous aime encore

Barbe Bleue
　　Oh Douce, Douce
　　Pourquoi m'as-tu menti ?
　　Pourquoi m'as-tu trahi ?
　　Oh Douce
　　Toi que j'aimais
　　Et même face à la mort, à la mort
　　Je t'aime
　　Je t'aime encore

Le Chœur
Empoignant sa chevelure
Il l'attira contre lui
Puis il la jeta à terre
Lui arracha ses habits

C'est sur le mur de la chambre
Qu'elle vit l'ombre du couteau
S'élever puis redescendre
Avant le dernier assaut

Mais au moment de mourir
Son visage s'éclaira d'un sourire
Elle le regarda droit dans les yeux
Et lui fit à nouveau cet aveu

Douce
Oui, je vous ai menti
Oui, j'ai désobéi
Pourtant, je peux le jurer
Je vous ai toujours aimé
Et même face à la mort
Je vous aime
Je vous aime encore

Barbe Bleue
Oh Douce, Douce
Pourquoi m'as-tu menti ?
Pourquoi m'as-tu trahi ?
Oh Douce
Toi que j'aimais
Et même face à la mort, à la mort
Je t'aime
Je t'aime encore

Chœur
Malgré ces belles paroles
Refusant de pardonner
Barbe Bleue trancha la gorge
De sa douce et bien-aimée
Quand elle fut vraimant morte
Il l'a contempla longtemps

— Quoi ! Mais non, ce n'est pas ça !
Vous vous trompez. Moi je la connais
la véritable fin !

Une fin si terrible ?

Le Chœur

Mais que dites-vous là ?
Que nous chantez-vous là ?
Une fin si terrible
Cela n'est pas possible
Vous n'avez pas le droit
Non vraiment pas le droit
Douce ne mérite pas
Ne mérite pas un sort aussi brutal
que celui-là !

Où sont passés ses frères ?
Ils devaient arriver
À temps pour le surprendre
À temps pour la défendre

Empêcher Barbe Bleue
D'user de son couteau
Et en quelques coups d'épée
L'obliger à se rendre avant de lui
Transpercer la peau !

Barbe Bleue dans la tombe
N'ayant pas d'héritiers
Son immense fortune
Aurait été cédée
À la jeune héroïne
Qui aurait épousé
Un fort et galant homme
Sans barbe ni palais

Mais après tout quelle importance !
Dites-nous !
Si notre fin est différente !
Voyez-vous !
Bien trop souvent
Les épilogues
Ont comme un goût
De déjà vu
Bien trop souvent
On nous assomme
De dénouements
Tant rebattus
N'est-ce pas ce que vous vouliez ?
N'est-ce pas ce que vous souhaitiez ?

Car pour une fois la demoiselle
Ben tant pis !
N'aura pas épousé de Prince
C'est ainsi !
C'est ainsi !
N'aura pas eu
Beaucoup d'enfants !
Qu'y a-t-il donc
De si gênant ?
Mais après tout quelle importance !
Si notre fin est différente…

Pardonnez-nous, Monsieur Perrault !

Et si on rêvait quand même...

Le Chœur

— *Moi, j'ai rien contre les histoires
qui finissent mal. Mais je crois
tout de même que je préfère celles
qui finissent bien !*

— *Quand le héros tue le dragon,
par exemple ?*

— *Ou bien quand la jeune et jolie
demoiselle épouse le prince
charmant... Ou bien, quand...*

Quand le plus vilain des canards
Se change en cygne un beau matin...
Quand deux êtres que tout sépare
Sont réunis par le destin...

Quand des milliers de violons
Jouent la plus tendre des chansons
Quand se dissipe la tristesse...
Et que le printemps refleurit...

Quand il est dit qu'au firmament
Brille pour chacun d'entre nous

Une étoile aux branches d'argent
Qui nous protégera de tout…

Quand pauvreté devient richesse…
Quand un miracle s'accomplit…
Quand se dissipe la tristesse…
Et que le printemps refleurit…
Lorsque disparaît la souffrance…
Qu'il n'est plus question
de vengeance…
Quand les méchants ne font plus peur…

Quand les gentils sont les vainqueurs…
Alors on referme son livre
Alors le temps suspend son vol
Alors on se prend à rêver, à rêver…

Alors on referme son livre
Alors le temps suspend son vol
Alors on se prend à rêver, à rêver…

Les contes de fées ont donné lieu à d'innombrables films
et dessins animés, mais aussi à de nombreux opéras.
Ces histoires à la fois drôles, dramatiques et effrayantes
sont des sources d'inspiration colorées qui offrent au librettiste
autant qu'au compositeur une matière extraordinaire.

Les contes

Ces histoires universelles,
où se mêlent merveilleux
et réalité, existent depuis
la nuit des temps.
Elles se partageaient au cours
d'un moment bien particulier
qu'on appelait la veillée.
Bien installées devant
la cheminée l'hiver à la nuit
tombée, mères, nourrices
ou grand-mères racontaient
aux plus jeunes les histoires
qu'elles avaient elles-mêmes
entendues enfants.

Barbe Bleue

Dans le livret de cet opéra, Christian Eymery
s'inspire évidemment du conte de Perrault
Barbe Bleue. Mais il pose la question : et si les frères
de Douce n'arrivaient pas à temps pour la sauver
de Barbe Bleue ? Cette interprétation permet
à la musique d'Isabelle Aboulker d'être parfois
encore plus dramatique et plus émouvante.
D'autres compositeurs ont écrit de la musique
autour de l'histoire de Barbe Bleue : Offenbach,
Dukas et Bartok.

Un recueil fabuleux

Parus en 1697, ces *Contes de ma mère l'Oye*
de Charles Perrault sont aujourd'hui parmi les textes
les plus célèbres de la littérature française :
Le Petit Chaperon rouge, Barbe Bleue, Peau d'Âne,
Le Chat Botté, Cendrillon ou Le Petit Poucet sont
des personnages que les enfants connaissent
depuis maintenant plus de 400 ans !

Contes de ma Mère l'Oye

Le petit chaperon rouge

La Barbe bleue

Le Maître Chat ou le Chat botté

Charles Perrault

Après de brillantes études
de lettres et de droit,
Charles Perrault fait une grande
carrière politique auprès
de Colbert, célèbre ministre
du roi Louis XIV. Pourtant,
la vraie place de Charles Perrault
est ailleurs : homme cultivé,
il aime composer des poèmes,
puis des contes pour ses enfants.
Les *Contes de ma mère l'Oye*
connaissent un succès immédiat :
pour la première fois un
ouvrage propose la publication
de contes jusque-là transmis
uniquement à voix haute
lors de la veillée. Un travail
de collecte extraordinaire
auprès des nourrices
et des conteurs paysans.

Pourquoi les contes finissent bien ?

Ces histoires de princesses, de princes, d'ogres
ou de sorcières nous touchent. Car elles parlent
de choses très humaines : la jalousie, l'envie
ou la trahison. Elles évoquent des moments
où nous nous sentons mal aimés (comme
Cendrillon) ou perdus (comme le Petit Poucet)…
Heureusement, ces histoires parlent aussi
d'amour, de retrouvailles et de merveilleuses
rencontres. Elles expriment finalement nos plus
grandes frayeurs mais aussi, par leur conclusion
heureuse, nos plus grands espoirs.

Les contes de Perrault ont donné lieu à d'autres magnifiques œuvres lyriques
de nombreux compositeurs.
Rossini : *La Cenerentola*, opéra composé en 1817.
Tchaïkovski : *La Belle au bois dormant*, ballet composé entre 1888-1889.
Debussy : *La Belle au bois dormant* pour voix et piano composé en 1890.
Ravel : *Ma mère l'Oye*, 5 pièces enfantines pour piano à 4 mains, composées en 1908.
Prokofiev : *Cendrillon*, ballet composé entre 1940 et 1944…

Et maintenant, c'est à toi ! Chante avec le piano
les grands airs de Douce et Barbe Bleue…

La clef

L'Air de la clef, un air qui va te trotter dans la tête… | PLAGE ㉗

Anne, Sœur Anne

Sœur Anne, un air à chanter avec des trémolos dans la voix | PLAGE ㉙

An - ne, Sœur An - ne ne vois - tu rien ve - nir?

An - ne, Sœur An - ne, il faut la se - cou - rir_____ An - ne, Sœur

An - ne, ne vois -tu rien ve - nir? Dou - ce ne doit pas souf - frir, Dou_

_ce ne doit pas mou - rir!

Et si on rêvait quand même…

Rêver, le bel air de la fin… | PLAGE ③1

Quand le plus vi-lain des canards se change en cygne un beau ma-tin___ Quand deux ê-tres que tout sépare sont ré-u-nis par le des-tin___ Quand des mil-liers de vi-o lons jouent la plus ten-dre des chan-sons, quand se dis-si-pe la tris-tesse et que le printemps re-fleu-rit. que le prin-temps re-fleu - rit.

1.
2.

Le grand bal

L'air du menu, un air plutôt relevé ! | PLAGE ③③
Et si on essayait d'aller plus vite… | PLAGE ③⑤

Médail-lon de foie gras, gigot d'agneau en che mise, ballo-tin de canard, sauté de bœuf aux olives. Foie de

veau ri-sot-to, ve lou-té de po-ti-ron, chou far-ci poule au pot, fricassée de cham pignons. Fruits con

fits maca rons sa-bayons, charlotte aux poires. Et crè me fouettée, fouet tée, fouet tée, fouet tée, fouet tée à la mode. Cara

mel mille feuilles fine mousse au choco-lat. Bien bat-tue, bat tue, bat tue, bat tue, bat tue, battue comme il faut, ca-ra-

mel mil-le feuilles, fine mousse au choco-lat. Bien bat tue battue, battue, battue, battue, bat tue comme il faut.

Et si on jouait !

En t'aidant du disque, fais les 4 jeux suivants
et tu deviendras un mélomane averti !

Reconnais les instruments

Tu es prêt, alors commence par bien écouter cet air | PLAGE 37
Maintenant, reconnais les instruments qui le jouent | PLAGES 38 à 42

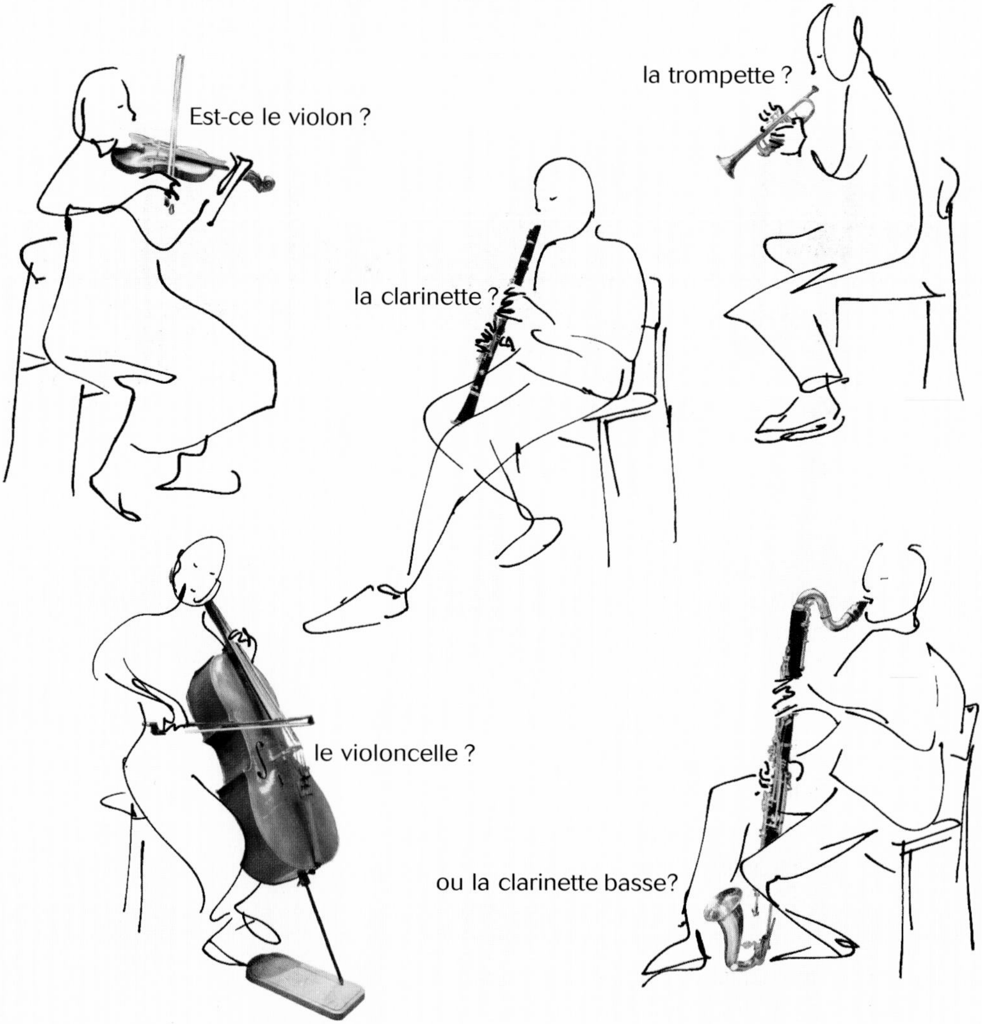
Est-ce le violon ?
la trompette ?
la clarinette ?
le violoncelle ?
ou la clarinette basse?

Du plus grave au plus aigu

Un autre jeu pour affiner ton oreille. Écoute cet air, joué à différentes hauteurs
par le violoncelle et le violon. À chaque fois, essaie de reconnaître quel instrument tu entends.
| PLAGES 44 à 47

Histoires de chœur

Encore plus difficile ! Qui chante ?
Est-ce un chœur tout seul, un chœur avec instruments,
tout le monde ensemble ou un soliste ?
Écoute attentivement ces extraits et inscrit
le numéro de la plage dans la bonne photo.

| PLAGES (49) à (52)

Chœur tout seul

© Guy Vivien

Tout le monde ensemble

© DR

Une soliste

Chœur avec instruments

Allegro, ma non troppo !

Que se passe-t-il ? Mais non, ton disque n'est pas rayé !
C'est un jeu : à toi de retrouver de quels airs il s'agit…

| PLAGES (54) à (57)

Lexique rigolo

D'après toi, quelle est la bonne définition ?

Trémolo :
1. Se dit lorsque la voix perd de sa vigueur
2. Répétition d'une note en chantant

Livret :
1. Petit livre dans lequel on attribue
   une note à chaque chanteur
2. Texte d'un opéra

A capella :
1. Chant sans accompagnement instrumental
2. Air que l'on entend uniquement
   dans une chapelle

Partition :
1. Séparation entre deux airs
2. Exemplaire imprimé d'une œuvre musicale

Soliste :
1. Qui chante seul
2. Qui chante saoul

Chef de chœur :
1. Celui qui dirige un groupe de chanteurs
2. Celui qui cuisine un dîner
   pour les chanteurs après le spectacle

Maîtrise :
1. Groupe de maîtres-chanteurs
2. École de chant choral

Réponses des jeux
Jeux 1 plage 38 : la clarinette - pl. 39 : le violoncelle - pl. 40 : le violon - pl. 41 : la trompette - pl. 42 : la clarinette basse • **Jeux 2** pl. 44 : le violon (grave) - pl. 45 : le violoncelle (grave) - pl. 46 : le violon (aigu) - pl. 47 : le violoncelle (aigu) • **Jeu 3** : pl. 49 : un chœur tout seul - pl. 50 : une soliste - pl. 51 : un chœur avec instruments - pl. 52 : tout le monde ensemble • **Jeux 4** pl. 54 : Anne, Sœur Anne - pl. 55 : La clef - pl. 56 : Le terrible secret - pl. 57 : Nous allons vous conter... Lexique : 2 ; 2 ; 1 ; 2 ; 1 ; 1 ; 2.

LIVRE

Gallimard Jeunesse Musique :
Paule du Bouchet

Édition et iconographie :
Claire Babin

Direction artistique :
Elisabeth Cohat

Graphisme :
Anne-Catherine Boudet

DISQUE

Coordination musicale :
Paule du Bouchet,
Dominique Boutel
et Claire Babin

Composition :
Isabelle Aboulker

Direction musicale :
Toni Ramon

Livret :
Christian Eymery

Narration :
Charlie Nelson

Jeux :
Dominique Boutel

L'enregistrement du CD
a été réalisé dans les studios
de Radio France à Paris
sous la coordination de Nicole Arnold

Production et post-production :
Musiciens metteurs en ondes :
Alain Duchemin
et Hélène Nicolaï
Preneur de son :
Antoine Lehembre assisté
de Julie Garraud et Alain Joubert
Montage et mastering :
Julie Garraud

Ensemble instrumental :
Karine Crocquenoy *(violon)*
Benoît Lavollée *(percussions)*
Vincent Mitterrand *(trompette)*
Raphaële Semezis *(violoncelle)*
Corinne Durous *(piano)*
Mathieu Duch *(clarinettes)*

Baryton :
Matthieu Delaubier : Barbe Bleue

Maîtrise de Radio France :
Direction : Toni Ramon

Solistes :
Agnès Gautier : Douce
Marie Pouchelon : Anne
Charlotte Rabier : la mère
Judith Fa
Herminie Mosser
Hélène Pelourdeau
Ariane Sautreuil

Chœur :
Lola André
Claire Andreani
Sarah Aristidou
Caroline Arnaud
Bérénice Barbillat
Isabelle Boski
Camille Bourrouillou
Victoire Bunel-des Grottes
Antoine Caffin
Armelle Cardot
Safiétou Coundoul
Camille Dalmas
Pauline Dartois
Luc Davie
Perrine Davoust
Xavier de Briey
Sophie-Colombe de Masfrand
Alix Debaecker
Louise Delage

Flore Delecourt
Jeanne Di Mascio
Inès Djia
Douglas Duteil
Maïda Duvshani
Lirav Duvshani
Thaïs Gaymard
Céleste Guillemot
Victor Jacob
Marie-Lou Jacquard
Marie Krier
Marion Le Roy
Sarah Lifchitz
Lise Maleze
Elise Martin
Nathanaël Mera
Albane Meyer
Caroline Micaelli
Mélodie Millot
Lin Mione
Lou-Octavia Morch
Marion Mozzon
Elodie Nadaud
Pola Noury
Caroline Paul
Marie Perbost
Agathe Peyrat
Marie Pinchon
Violette Polchi
Antoine Potel
Maud Pravikoff-Glevarec
Soukaïna Qabbal
Léonor Seantier
Myriam Toumi
Dee Lia Trevidic
Alice Ungerer
Hélène Velluet
Juliette Vialle
Patrick Wibart

L'opéra *Douce et Barbe Bleue*, **commandé par Radio France à Isabelle Aboulker,
a été donné par la Maîtrise de Radio France en création mondiale en septembre 2002.**

Toni Ramon
Né en Espagne en 1966, Toni Ramon a fait
ses études à la Maîtrise de Montserrat puis au
Conservatoire de Barcelone. Il s'établit en France
en 1988, fonde la Maîtrise du Conservatoire
et le Chœur de Chambre d'Orléans. Boursier
de la Fondation France Télécom pour ses études
sur la direction de chœur, il obtient en 1993
le Certificat d'aptitude aux fonctions de professeur
d'ensembles vocaux. Il étudie ensuite la direction
d'orchestre auprès de Nicolas Brochot.
Il est directeur musical et chef de chœur
de la Maîtrise de Radio France depuis 1998.

Maîtrise de Radio France
Fondée en 1946, la Maîtrise de Radio France
a pour mission de mettre en valeur
le répertoire choral français pour voix d'enfants
et de favoriser la création contemporaine.
Tout au long d'un parcours prestigieux,
la Maîtrise s'est produite en Europe, en Asie
et en Amérique du Nord. Elle a reçu en 1995
l'Orphée d'Or de la Musique française
pour *Les Enfants d'Izieu* de N'Guyen Dao.
Elle s'est produite à la Comédie française,
dans *Esther* de Racine, en 2003,
sous la direction d'Alain Zaepffel.

Les collections Gallimard Jeunesse Musique

Les imagiers
(tout-petits)
Mon imagier sonore
Mon imagier amusettes
Mon imagier des rondes
Mon imagier des animaux sauvages
L'imagier de ma journée

Coco le ouistiti
(dès 18 mois)
Coco et le poisson Ploc
Coco et les bulles de savon
Coco et la confiture
Coco lave son linge
Coco et les pompiers

Mes Premières Découvertes de la Musique
(3 à 6 ans)
Barnabé et les bruits de la vie
Charlie et le jazz
Faustine et les claviers
Fifi et les voix
Léo, Marie et l'orchestre
Loulou et l'électroacoustique
Max et le rock
Momo et les cordes
Petit Singe et les percussions
Tim et Tom et les instruments à vent
Tom'bé et le rap
Timbélélé, la reine lune et les musiques africaines

Musique et langues
(3 à 6 ans)
Billy and Rose

Découverte des Musiciens
(6 à 10 ans)
Jean-Sébastien Bach
Ludwig van Beethoven
Hector Berlioz
Frédéric Chopin
Claude Debussy
Georg Friedrich Hændel
Wolfgang Amadeus Mozart
Henry Purcell
Franz Schubert
Antonio Vivaldi

Grand répertoire
(8 à 12 ans)
Douce et Barbe Bleue
La Flûte enchantée

Musiques d'ailleurs
(8 à 12 ans)
Antòn et la musique cubaine
Bama et le blues
Brendan et les musiques celtiques
Djenia et le raï
Jimmy et le reggae
Tchavo et la musique tzigane

Musiques de tous les temps
(8 à 12 ans)
La musique au temps des chevaliers
La musique au temps du Roi-Soleil
La musique au temps de la préhistoire

Carnets de Danse
(8 à 12 ans)
La danse classique
La danse hip-hop
La danse jazz
La danse moderne

Hors série
(pour tous)
L'Alphabet des grands musiciens
L'Alphabet des musiques de films
L'Alphabet du Jazz
Les Berceuses des grands musiciens
Les Berceuses du monde entier (vol. 1)
Les Berceuses du monde entier (vol. 2)
La Bible en musique
Chansons d'enfants du monde entier
Chansons de France (vol. 1)
Chansons de France (vol. 2)
Musiques à faire peur
La Mythologie en musique
Poésies, comptines et chansons pour le soir
Poésies, comptines et chansons pour tous les jours

ISBN : 2-07-55583-6
© Éditions Gallimard Jeunesse
Dépôt légal : septembre 2003
Numéro d'édition : 123697
Imprimé en Italie par Editoriale Lloyd
Loi n° 49-956 du 16 juillet 1949
sur les publications destinées à la jeunesse